D0005862

DU MÊME AUTEUR

Aux Éditions Gallimard

L'HOMME PACIFIQUE, *roman*, « L'Infini », 2009.

UN VOYAGE HUMAIN, *roman*, « L'Infini », 2011.

POLAIRE, *roman*, « L'Infini », 2013.

ORPHELINE, *roman*, « L'Infini », 2014.

UNE JEUNESSE DE BLAISE PASCAL, *roman*, « L'Infini », 2016 (Prix Henri de Régnier de l'Académie française).

LA SAINTE RÉALITÉ. VIE DE JEAN-SIMÉON CHARDIN, *roman*, « L'Infini », 2017.

Chez d'autres éditeurs

LE MÉTIER DE DORMIR, *récits*, Confluences, 2005.

JE SUIS UNE SURPRISE, *récit*, In8, 2009.

OZU, *roman*, Louise Bottu, 2015.

L'Infini

Collection dirigée
par Philippe Sollers

MARC PAUTREL

LA VIE PRINCIÈRE

roman

GALLIMARD

N'ai-je pas été au fond toujours comblé depuis que pour la première fois tu as laissé tomber tes yeux sur moi ?

FRANZ KAFKA

Chère L***,

Je voudrais pouvoir te remercier pour tout. Rester à tes côtés pendant ces quelques jours a été merveilleux, de la première à la dernière minute. Hier, j'étais si désespéré que tu sois partie, et si abandonné quand je me promenais sur les routes désertes du Domaine, j'ai erré toute la journée, je ne savais plus pourquoi j'étais vivant, je n'étais plus vraiment vivant d'ailleurs, j'étais une simple chose animée, un automate privé d'étincelle, et c'est seulement le soir que j'ai enfin compris que je ne pouvais plus faire qu'une chose, la seule chose que je sache faire dans la vie : me nourrir de mes propres phrases, et qu'il allait me suffire de t'écrire une lettre, de t'expliquer que j'étais tombé amoureux de toi, de te dire ce qui s'était passé et comment c'était arrivé, et qu'alors je serais soulagé.

Mais ce matin, au moment de commencer ma lettre il me semble que je n'en suis plus capable, et même que c'est plus grave encore : la nuit de sommeil, la première après que tu as quitté le Domaine, m'a comme retiré le souvenir de toi et jusqu'à la souffrance de ton absence. C'est à la fois cruel et comique : j'ai l'impression qu'en moi un autre moi aveugle a utilisé les longues heures du sommeil pour tout effacer soigneusement, dans le seul but de me débarrasser du manque de toi. Et ça, c'est pire que tout, parce que je sais que je ne t'ai pas rêvée, parce qu'il reste quelque part en moi une trace tangible, une empreinte profonde de ce bonheur d'avoir été près de toi. Sauf que ma vocation pour la joie semble avoir été la plus forte, elle a fait le ménage pendant la nuit, les petits balayeurs de mon inconscient ont tout déblayé, ils m'ont soulagé de toi, mais moi je ne suis pas d'accord avec eux, je ne veux pas que tu disparaisses de moi, je veux te graver en moi, t'inscrire à l'intérieur de mon corps.

Je ne souhaitais rien t'avouer. Puisque tu as un compagnon, et que tu l'as répété plusieurs fois, me torturant sans le savoir dès que tu en parlais, je ne voulais pas perturber le paysage de ta vie privée, je ne voulais pas te gêner, te troubler et te mettre mal à l'aise. J'ai déjà subi ça, les avances d'une femme amoureuse pour laquelle je n'éprouvais rien, et c'est terriblement dérangeant, déplaisant et parfois angoissant, et je me disais que je ne voulais pas imposer ça à quelqu'un. Mais quand une réalité invisible a pris des dimensions si vastes, il n'est plus possible de la taire, cela deviendrait malhonnête par rapport à l'autre, ce serait un trop gros mensonge et un manque de respect. Et aussi, à présent que mon inconscient a traîtreusement cherché et failli réussir à te chasser de mon esprit, je veux à tout prix que tu survives en moi, que ces quelques jours survivent.

C'était imprévisible, au début je n'étais pas attiré par toi, puis je me suis senti comme collé, comme tissé à toi, et je n'ai évidemment pas pensé que tu puisses avoir quelqu'un dans ta vie, puis il y a donc eu ce premier moment où tu as dit à table « mon compagnon », mais ensuite je n'étais plus certain d'avoir bien compris, puis tu en as reparlé le dernier jour, et j'aurais pu te dire que je t'aimais, mais alors tu aurais été gênée, et nous ne nous serions plus parlé de la même façon, alors que tout ce que je voulais, justement, c'était être à côté de toi et parler avec toi, demeurer dans ta proximité, et le reste n'avait aucune importance.

Le premier soir, quand j'arrive à la Grande Maison, il fait déjà nuit noire. Je suis installé au Domaine depuis un mois et c'est la deuxième série de dîners de séminaire à laquelle je suis invité, comme le sont tous les résidents, lors de la précédente je me suis un peu ennuyé parce que tous les participants s'exprimaient en anglais et que je le parle très mal et le comprends tout juste. On m'avait présenté à chacun d'eux au début de la semaine, et ils m'avaient posé des questions auxquelles je ne savais jamais répondre, donc ce premier soir de cette nouvelle semaine de dîners je ne suis pas pressé de croiser les nouveaux venus, je me dis qu'une fois de plus ces dîners quotidiens me mettront mal à l'aise. Je monte les marches de la terrasse dans la semi-obscurité parce que les lumières n'ont pas encore été allumées, je les gravis en diagonale pour aller jusqu'à la salle à manger sur la gauche et, arrivé presque en haut, je m'arrête pour consulter pendant quelques instants mon téléphone portable. Puis je lève les yeux et je sursaute : dans l'obscurité il y a une forme humaine qui se tient debout très près de moi, à cinquante centimètres. C'est toi.

Je crois que je dis alors : « Oh, pardon, je ne vous avais pas vue », et aussitôt je pense que j'ai parlé en français à quelqu'un qui probablement est américain, ou chinois, ou indien, et qui ne va pas me comprendre, mais tu réponds en français, tu me dis « Ce n'est rien, tout va bien », ou quelque chose comme ça. Je ne distingue pas ton visage, juste une silhouette féminine et une voix avec un très léger accent, et aussitôt tu me demandes si je suis l'écrivain, tu dis que tu voulais justement me voir, que tu as lu mes livres à la bibliothèque et que ça t'intéresse. Et tu ris.

Nous parlons, puis nous allons ensemble jusqu'à la grande salle à manger nous asseoir autour d'une des tables, l'un à côté de l'autre surtout, parce que je veux rester près de quelqu'un qui parlera français.

Tu es incroyablement enthousiaste, tu me poses une quantité de questions sur comment écrire des romans, comment être publié, tu m'expliques que tu rêves de devenir romancière. Tu n'arrêtes pas de parler et de rire. Je te dévisage, tu ne me plais pas vraiment mais ton énergie m'attire.

Le soir, dans mon journal je note : « L***, cheveux châtains, yeux clairs bleu-gris, visage doux avec parfois des angles très beaux, intelligente, drôle, rapide. De mère américaine et de père italien. Née en Toscane, arrivée il y a un an de Milan. Thésarde en littérature française à Paris. En séjour d'étude ici pour une semaine. Travaille sur la figure du Christ chez les auteurs du XXe siècle et sur la correspondance de ***. Intéressante, environ trente ans, souple et pointue. À suivre. »

Le deuxième soir, nouveau dîner, et nous nous retrouvons encore devant la Grande Maison. J'arrive un quart d'heure en avance et tu es déjà là, tu fumes, tu me fais un grand signe de la main accompagné d'un « Ciao ! ». De nouveau, à table nous sommes assis l'un à côté de l'autre. Je te trouve de plus en plus rapide, et même virtuose dans la conversation, je te vois qui bascule du français à l'anglais que tu parles couramment avec un véritable accent américain, et tu glisses ensuite à l'italien avec une de tes compatriotes assise à ta gauche (je suis de nouveau à ta droite, je serai chaque fois assis à ta droite, tous les soirs, sauf le dernier soir, si particulier, où je serai assis en face de toi). C'est pendant ce deuxième dîner de séminaire que je réalise que je suis tombé amoureux quand soudain, à un moment où nous parlons cuisine, et que je dis que je ne fais jamais la cuisine, tu réponds que toi non plus, ni ta colocataire, mais que parfois tu fais des efforts, par exemple quand tu prépares un plat pour ton compagnon.

Sans même chercher à analyser comment il est possible que tu vives avec une colocataire et qu'en même temps tu aies un compagnon qui n'est pas dans cette colocation, je reste bloqué sur ces deux mots accolés : « mon compagnon ». Et immédiatement je suis foudroyé de douleur. Je sens ma tête qui pèse subitement une tonne et ma nuque qui se courbe et alors il me semble qu'un sabre géant descend du ciel et tranche ma tête qui tombe dans mon assiette. Il ne faut pas qu'on me voie, il ne faut pas que toi ou les autres convives voient ma réaction, je prends mon crâne inerte à deux mains dans l'assiette et je le repose sur mon cou, je l'enfonce, je le visse, j'ai une tête morte sur un corps encore vivant, je dissimule mon état, je continue de sourire, de manger, d'agir normalement. Je me dis que je ne vais plus jamais pouvoir me tenir à tes côtés en demeurant naturel, que je vais être trop malheureux, et qu'il me faudra, comme chaque fois que j'ai commencé à aimer une femme dont j'ai découvert qu'elle en aimait déjà un autre, tout faire pour ne plus te croiser, ou rester éloigné de toi, et par exemple je me dis que tout à l'heure je vais quitter le dîner tôt avant tout le monde, et que demain soir je ne m'assoirai pas à côté de toi mais le plus loin possible, au milieu des scientifiques anglais dont la langue incompréhensible à mes oreilles me bercera et m'anesthésiera.

Pourtant, quelques minutes s'écoulent et j'oublie totalement le mot « compagnon ». Peut-être que je me persuade que j'ai compris de travers, ou bien ton rire et ta beauté me subjuguent à nouveau et sont plus forts que tout, plus forts que la douleur, et ce sont eux qui me scellent à nouveau, et définitivement, la tête sur les épaules, ton corps vibrant, ton corps lumineux et comme glorieux me ressuscite en quelques phrases dont je n'ai même pas conservé le souvenir. Le dîner se termine comme le soir précédent : nous ressortons tous les deux et restons à parler dehors, dans un froid piquant à cause du vent et de la fraîcheur nocturne sur ce plateau de la Haute-Provence. Tu fumes tes cigarettes, que tu roules les unes après les autres, et qui me semblent minuscules, et comme des prétextes pour sortir et rester dehors, et parler encore. Vers dix heures, nous nous séparons, chacun repart chez soi. Dans mon journal, j'écris : « Très drôle, très intelligente, très belle. »

Le mercredi soir, je te retrouve encore devant la Grande Maison, peu avant le dîner, je suis arrivé en avance et tu n'es pas là, mais, avant que j'aie pu m'en inquiéter, très vite tu apparais, nous parlons et nous allons dans la salle à manger nous asseoir autour de la table l'un à côté de l'autre. Tu es magnifique, tu t'es habillée plus élégamment que d'habitude et très légèrement maquillée. Nous discutons des pays que nous avons visités et tu me dis que tu rêves d'aller en Israël. C'est aussi mon rêve, qui sera bientôt exaucé parce que mon neveu fera l'année prochaine sa bar-mitsva à Jérusalem et que je suis invité. Tu m'expliques alors que bien que tu aies été élevée dans le catholicisme, ta famille est d'origine ashkénaze. Immédiatement, c'est comme si tu devenais encore plus proche de moi, comme si tu faisais soudainement partie de ma famille au sens large, de mon peuple, comme on dit, la femme de ma vie, j'imagine en riant que nous pourrions être mariés, moi qui déteste le mariage, et je laisse peut-être transparaître mes pensées en faisant un petit rire rentré dans le fond de la gorge, un demi-ricanement comme tu fais souvent toi aussi, qui signifie « Je me comprends ».

Parler avec toi, être à côté de toi, me semble une expérience surhumaine, et pour ainsi dire divine. Je réalise aujourd'hui seulement que pas une seule fois nous n'avons été en désaccord sur quelque chose, ni même ne nous sommes légèrement fâchés, ou un peu accrochés, non, j'étais toujours à mille pour cent d'accord avec toi, quoi que tu dises je disais pareil, et j'avais l'impression que moi aussi, quoi que je dise tu disais toujours pareil, et ce, uniquement pour être en accord, en symbiose, en harmonie avec moi. Où tu iras j'irai, c'était ça que ça voulait dire : quoi que tu penses je le penserai également, quoi que tu dises je le dirai aussi. L'amour déformait peut-être mes perceptions, mais je croyais que tu pensais toujours comme moi et que tu souhaitais tout ce que je souhaitais. Et aussi que tu voulais rester avec moi autant que je voulais rester avec toi.

Or, ce troisième soir, le dîner de séminaire continue et dure, et après que les cafés et tisanes nous ont été servis et que notre table s'est vidée de presque tous ses occupants, les scientifiques des autres tables viennent s'asseoir les uns après les autres avec nous. Très vite, nous sommes dix ou quinze autour d'une table ronde prévue pour sept ou huit, et nous devons nous serrer. Je me retrouve alors très près de toi, presque à te toucher, épaule contre épaule, visages très proches. C'est délicieux. Les participants du séminaire, des chercheurs en médecine et en biologie, une majorité d'hommes, sont assez drôles, il y a un Texan, deux Russes devenus américains, certains ont les cheveux blancs alors qu'ils ont à peine trente ans, d'autres ont les cheveux teints alors qu'ils approchent les soixante-dix ans, tout le monde parle en désordre et dans un anglais rapide, une des participantes, une Française, va demander en cuisine de l'armagnac ou un alcool de prune, mais ils n'ont pas ça en réserve et nous apportent à la place des bouteilles de vin rouge, les Américains les ouvrent et ils nous servent. Tu bois beaucoup, moi aussi.

J'essaie de suivre la discussion animée à laquelle tu participes activement grâce à ton anglais courant, et à nouveau plusieurs fois nous nous retrouvons collés l'un à l'autre parce que la table est trop étroite. Ce qui est étrange, c'est qu'à côté de moi il y a une jeune Américaine qui est aussi collée, et que j'essaie sans cesse, par réflexe, de me décoller d'elle parce que je suis gêné de la proximité de nos corps, et je vois qu'elle aussi cherche à s'éloigner un peu, je n'ai rien contre elle qui est du reste très belle, mais c'est seulement que la distance de politesse de nos corps semble franchie, et j'ai presque envie, chaque fois que nous nous rapprochons par un faux mouvement, de lui dire « Pardon » et elle de même. Tandis qu'avec toi, au contraire, plus nous nous rapprochons et plus je suis heureux, nos visages une ou deux fois se frôlent et se touchent quasiment, et aucune gêne n'apparaît ni chez l'un ni chez l'autre. La discussion en anglais à propos du féminisme et de la politique internationale continue jusqu'à ce que le gardien de nuit vienne fermer la Grande Maison et force tout le monde à s'en aller. Mais encore une fois nous restons ensemble dehors dans la semi-obscurité, tu fumes, nous discutons de tout, le ciel est étoilé et exceptionnellement clair, la lune est en train de commencer son premier quartier et son croissant se dessine lentement.

Quand nous nous séparons, je ne sais plus si c'est moi qui te le suggère ou si c'est toi qui reprends l'idée dont je t'ai parlé à table : tu dis que tu ne sais pas si tu auras le temps, tu ne sais pas si tu auras travaillé assez, mais quand même, tu me proposes d'aller visiter ensemble le Domaine à pied, de faire une grande promenade sur ses longues routes goudronnées, et tu me dis qu'on s'appellera demain un peu avant 14 heures pour confirmer, tu habites à côté, dans la Maison des Chênes, moi je suis installé dans la Petite Maison, les numéros de téléphone de toutes les maisons du Domaine sont dans le gros classeur posé sur la table de chaque salon, il suffit de composer un raccourci à deux chiffres et la communication s'établit.

Le lendemain matin, je me souviens que tu avais l'air d'hésiter, que tu expliquais que tu manques de temps, que tu ne restes ici qu'une courte semaine, qu'il faudrait que tu travailles dix heures par jour dans la bibliothèque pour arriver à bout des recherches que tu es venue faire, et je ne suis plus du tout sûr que tu viendras. J'appelle chez toi à 13 h 30 et je laisse sonner longtemps, mais personne ne répond. Je ne sais pas si tu es restée à la bibliothèque de la Maison Barjeantane en bas du Domaine ou si tu es remontée chez toi, ou bien si tu préfères encore ne pas répondre et travailler plutôt que d'aller te promener. J'appelle à nouveau dix minutes plus tard, cela sonne quatre ou cinq fois puis tu décroches essoufflée, et tu sembles enjouée, tu dis : « Oui, bien sûr ! D'accord pour se promener ! » Ton enthousiasme est extraordinaire, c'est la chose la plus précieuse chez toi, cette électricité rieuse, cette acceptation par principe de toute proposition, et la façon dont tu me salues quand j'arrive ensuite : en faisant un geste de la main, paume ouverte dressée à la verticale dans ma direction et oscillant de droite à gauche, comme ces dizaines de mobiles de carton en forme de mains que j'avais vus une fois, accrochés avec une ventouse sur la baie vitrée de l'aéroport Marco Polo de Venise, face aux pistes d'envol, et qui s'agitaient toutes seules par l'effet de l'air ambiant, exactement comme font les enfants pour dire au revoir, et ce geste, toi tu le fais pour dire bonjour, je ne sais pas si tous les Italiens font ça, mais ça me paraît chaque fois miraculeux.

Je ne me rappelle pas beaucoup d'êtres qui, chaque fois qu'ils m'accueillaient, étaient aussi heureux de me voir que tu me sembles l'être. Il y a eu mon oncle, lorsqu'il venait avec sa femme me chercher deux ou trois fois par an le samedi midi à la sortie de l'école élémentaire, j'avais cinq ans. Il y a aujourd'hui mes parents, quand ils viennent m'attendre à la gare deux fois par an. Peut-être, il y a longtemps, une ou deux femmes très amoureuses, mais je n'en suis même pas sûr. Il y a enfin mes neveu et nièce de douze et dix ans, et c'était encore plus fou quand ils étaient petits, ils se jetaient sur moi comme si j'étais un être incroyablement précieux, comme si j'étais le sauveur du monde. Alors, quand toi je te découvre si enjouée de me voir, je me dis que soit les Italiens sont des êtres eux-mêmes extraordinaires, ce qui est fort possible, soit tu es très attachée et places en moi de grands espoirs.

Ou bien, peut-être, est-ce tout simplement moi qui renvoie ma joie sur toi, comme un miroir, précisément comme mes neveu et nièce m'ont forcé, moi qui ne savais jamais quoi dire et comment me comporter avec les enfants, à les aimer autant qu'eux m'aimaient, parce qu'ils attendaient tellement de choses de moi, et me donnaient par avance tellement de choses d'eux, qu'il était impossible pour moi de rester sans rien faire. Peut-être réponds-tu seulement, avec toute la politesse lumineuse d'une érudite allègre, qui plus est italienne, à l'enthousiasme et la joie concentrée, et comme illimitée, d'un homme français un peu étrange, ni jeune ni vieux, qui ment ou trop mal ou trop bien, et occupe l'intégralité de sa vie à tenter d'écrire des livres, et parfois en publie dans cette maison d'édition légendaire, qui est aussi, comme par hasard, la maison qui publia tous ces écrivains français du XXe siècle que tu adules et étudies méticuleusement pendant des heures chaque journée que Dieu fait.

Tu es donc là, debout devant la Grande Maison à l'heure dite, et comme la veille, tu me tends ta joue pour que nous nous fassions la bise, mais pas la bonne joue, et tu le remarques à nouveau : une chose que j'ignorais jusqu'ici, que les Français se font toujours la bise en commençant par la joue droite, alors qu'en Italie c'est l'inverse, et avec moi tu te trompes à chaque fois, et cela te fait rire.

Nous partons sur la route, et tout en marchant je t'indique de la main par où nous allons passer et je te décris un peu les lieux, comme un guide touristique, puisque je suis déjà ici depuis plusieurs semaines, alors que toi tu n'as encore jamais marché sur les longues, et sinueuses, et étroites routes goudronnées qui serpentent entre les milliers d'oliviers de l'immense Domaine. Mais tu ne m'écoutes pas, et tu ne regardes qu'à peine le paysage, tu parles, tu parles sans interruption, mais sans faire de monologue, tu me poses des questions sur mes livres et tu écoutes longuement mes réponses, et quand tu parles de nouveau, tout ce que tu dis est intelligent, argumenté, original, énergique, instructif.

Je me fais très vite la réflexion que tu ne veux pas visiter le Domaine mais seulement parler, et moi aussi, j'aime marcher, mais je veux marcher avec toi, et parler, mais parler avec toi, et tout simplement vivre en me tenant près de toi. Être avec toi en avançant, parler en parcourant la route, l'image est fertile : plus nous discutons et plus nous progressons. D'ailleurs, c'est exactement ce que nous faisons : puisque le Domaine est une propriété privée et qu'il ne passe ici qu'un ou deux véhicules par jour, nous marchons en plein milieu de la chaussée, la route nous appartient, on dirait qu'elle a été tracée pour nous seuls au milieu des vallons, percée à flanc de coteau puis parfaitement aplanie, égalisée et goudronnée uniquement pour que toi et moi puissions y marcher tous les deux côte à côte le plus confortablement possible, et parler, parler sans cesse, expliquer, imaginer, se souvenir, inventer, interroger, démontrer, raconter, échanger nos idées, nos mots, nos vies.

Nous montons jusqu'au Laquet, la plus haute colline du Domaine, qui culmine à plus de six cents mètres. Je m'y suis rendu une première fois deux semaines avant et je me souviens combien la pente à quinze pour cent était raide, épuisante à gravir, j'avais mis une demi-heure à atteindre le sommet, et ensuite il m'avait encore fallu marcher jusqu'aux deux bâtisses de cette partie du Domaine, la Maison d'Amis et la Maison de Fonction. J'étais si fatigué en redescendant que j'ai cru que je ne pourrais pas revenir jusqu'à chez moi. Donc je t'ai prévenue que la montée serait difficile, et que même si la route était goudronnée, les lacets étaient chaque fois l'occasion d'une accentuation de la pente, mais cela ne t'a pas inquiétée, tu parlais, tu riais. Et en effet, maintenant nous montons et nous ne sentons pas l'inclinaison, l'ascension est comme une glissade, nous planons, nous déjouons l'attraction terrestre.

Tout ce que tu dis m'intéresse, tu racontes comment tes élèves de cours d'italien rédigent des textes involontairement drôles, comment ils t'enrichissent, comment tu aimes enseigner cette langue, ta langue, à peu près autant qu'enseigner la littérature. Tu racontes aussi que tu as passé plusieurs étés à Dax où tu travaillais dans les bars, pendant la Feria, et je trouve cette coïncidence incroyable, parce que je suis invité bientôt au salon du livre de cette ville qui a sélectionné mon dernier roman pour un prix littéraire, et aussi pour d'autres raisons plus lointaines, et je me dis qu'il n'y a jamais de hasard, que les choses se tressent les unes aux autres pour former une troublante guirlande, certains atomes du monde se chargeant de passer le relais à d'autres pour que la continuité de mon corps ne soit jamais rompue, et mon corps ce sont aussi les mots que j'écris.

Nous arrivons au sommet très vite, et je ne suis pas du tout fatigué, j'ai l'impression d'avoir pris le téléphérique, de m'être installé dans un télésiège en bas, d'avoir été hissé en un éclair et sans effort, et à présent de simplement m'extraire de la cabine, tu as été mon ascenseur express. Lorsque j'étais monté seul, j'avais soufflé, faibli, presque souffert, tandis que monter la pente très raide à tes côtés, en parlant avec toi, en t'écoutant, m'a rendu l'effort indolore. Nous marchons jusqu'à la Maison de Fonction actuellement libre de tout occupant, d'où je te montre la vue incroyable sur la plaine. Je te dis aussi que sur le Domaine on compte quatre piscines et que précisément il y en a une cachée près de cette maison, et je la cherche pour te la faire voir, mais quand nous la trouvons elle est vide et sale, un grand trou sec et délabré, elle est abandonnée depuis des années.

Tu continues de parler et moi aussi, nous échangeons nos souvenirs, nous avons tellement de choses à nous dire, je ne me rappelle même pas tout ce dont nous parlons, nous nous disons des millions de choses, nous nous disons tout sur tout, l'Italie, la France, la littérature, la musique, les animaux, et tu me montres soudain la photo du petit chien à poils noirs qui est chez tes parents, et je le trouve même charmant, alors que je déteste habituellement les chiens. Je voudrais rester un peu devant la vue sur la plaine provençale, sous les pins parasols et face aux rangées de cyprès, ici sur la terrasse de la Maison de Fonction, je voudrais que nous nous asseyions un moment, mais déjà tu repars, tu veux marcher, tu ne veux pas perdre de temps.

Nous revenons sur nos pas et passons devant la Maison d'Amis, elle aussi est inoccupée cette semaine, nous en faisons le tour et descendons le long de la pente face à la vallée, et c'est alors qu'en contrebas nous découvrons une petite piscine, remplie et parfaitement entretenue. L'eau en est limpide, elle miroite sous le soleil de l'après-midi. Tu dis : « Et si on se baignait ? » Je me demande si j'ai bien compris, pourtant tu ajoutes : « Elle ne doit pas être si froide avec le soleil. » Tu t'accroupis et plonges longuement la main, tu as l'air d'apprécier sa tiédeur, puis d'un coup tu remontes ton bras et tu dis que non, l'eau est trop froide. Pendant quelques secondes je nous imagine, toi en sous-vêtements ou même nue, plongeant dans l'eau et faisant quelques brasses, et moi te suivant. Il y a contre le mur de la maison un banc qui fait face à la piscine et à la vallée, je te propose de nous asseoir un moment, mais déjà de nouveau tu sembles vouloir repartir.

Nous nous apprêtons à redescendre du Laquet et rejoindre la Grande Maison, tout en bas du vallon. Nous marchons seulement depuis une centaine de mètres quand une voiture arrive vers nous, ce sont les femmes de ménage des maisons, elles s'arrêtent en pleine côte, nous saluent en souriant, nous disent que nous nous promenons, que nous avons bien raison d'en profiter. La conductrice précise qu'elles ne me croisent pas souvent quand elles passent faire le ménage de ma maison, mais que chez moi c'est incroyablement propre, que c'est toujours nickel, et qu'elle me félicite. Je trouve étrange qu'elle dise ça. Puis, toujours très joviales, elles nous saluent et repartent, elles vont nettoyer les maisons que nous venons de voir.

Lorsque j'étais monté seul ici pour la première fois, la pente déjà raide à l'aller m'avait au retour paru soudain si abrupte que je n'arrivais plus à me freiner dans ma marche et qu'à un moment je m'étais laissé aller à descendre en courant, comportement à la fois spontané et infantile, voire dangereux, mais qui m'avait amusé. Cette fois, nous redescendons normalement et à nouveau tout me semble plus facile et naturel avec toi, mon corps ne paraît pas avoir besoin de faire un quelconque effort, il suit ma tête qui discute avec toi, et tout simplement se tient à côté de toi, et cette seule proximité suffit à le stabiliser. D'ailleurs, je crois que jamais nous ne sommes restés plus de dix secondes silencieux l'un près de l'autre, c'est surprenant, chaque fois que nous nous sommes croisés, nous avons toujours parlé, parlé sans arrêt, parce que bien sûr il n'y avait pas que toi qui parlais, je parlais aussi, mais seulement je ne me souviens quasiment plus de ce que j'ai pu te dire, parce que je te racontais des choses que je savais déjà, donc des choses qui ne m'enrichissaient pas et qui m'importaient peu. Pour que mes paroles m'importent, finalement il faut sans doute qu'elles deviennent des écrits, et qu'ainsi je puisse les relire et les voir, les tenir à distance. Tout le reste, tout ce que je dis, comme tout ce que je pense, je l'oublie si je ne l'écris pas.

En bas, à la hauteur de la Grande Maison la route bifurque et nous pouvons soit revenir vers nos maisons respectives, soit poursuivre la promenade. Nous marchons depuis une heure, nous avons fait environ cinq kilomètres, mais toi tu continues de parler et de marcher au même rythme, assez rapide et que j'ai parfois du mal à suivre, tu es une vraie sportive, alors pour prolonger la promenade je choisis de prendre la route de droite, et nous longeons le vallon des Mandins. Nous descendons jusqu'à la Maison Barjeantane, puis nous remontons par la petite route directe, étroite entre ses murets de pierre sèche, qui arrive à la Maison Gisclard et à la Petite Maison.

Je suis totalement épuisé et je crois que toi aussi tu commences à faiblir, et pourtant nous parlons encore, d'un peu tout, notamment de la Sécurité sociale, et tu me dis que tu n'as pas de mutuelle de santé, et je te dis que financièrement ce n'est pas très prudent, si par malheur tu tombes malade et que tu doives faire des examens compliqués, par exemple passer des scanners ou des IRM, ces machines mystérieuses qui permettent de voir à l'intérieur des corps, photographier nos muscles, nos nerfs, nos os, tes muscles, tes nerfs, tes os, et alors que je prononce ces paroles, penser soudain à ton corps, aux entrailles de ton corps, m'émeut.

Quand nous arrivons près de la Petite Maison où je loge, je te montre l'entrée du chemin qui y mène et t'explique qu'elle est cachée en contrebas au milieu des pins. Je me demande s'il faut que je te propose de venir boire un jus d'orange. Tu restes en retrait, tu ne me poses aucune question sur la maison, si c'est grand ou je ne sais quoi, tu ne me tends aucune perche indiquant que tu veux la voir, tu sembles plutôt pressée de rentrer chez toi. J'ai l'impression que tu as peur que je t'invite, mais j'ai sans doute tort, en tout cas nous nous séparons en nous disant à ce soir.

Plus tard dans l'après-midi, je me dis que j'ai été idiot, que je devais t'inviter, qu'il y a certainement une infime différence culturelle entre Italiennes et Françaises, et que seule cette différence peut expliquer pourquoi nous sommes si bien ensemble et pourquoi à certains moments tu deviens soudain fuyante. Puis aussitôt après, je repense à ce mot « compagnon » que tu as prononcé, et qui expliquerait tout simplement, et le plus logiquement, que tu ne veuilles pas te retrouver seule avec moi, que tu veuilles rester strictement dans les limites d'une amitié. Mais se parle-t-on tellement et se dit-on autant de choses dans une amitié ? Je ne sais pas, je ne sais plus. J'agis en ta compagnie selon mon instinct et je serais bien incapable de faire une chose que je ne sente pas cohérente avec le moment. Les choses se passent avec tant de fluidité et si parfaitement avec toi, c'est tout ce qui compte, je ne veux pas briser notre cercle.

Ce même soir, quand j'arrive devant la Grande Maison pour le dîner, tu n'es pas là. Il fait froid parce que le soleil vient de se coucher et que le vent s'est levé, donc j'entre dans la bibliothèque et j'attends à l'intérieur, derrière la baie coulissante, en regardant si je ne te vois pas venir. Mais je ne vois personne, ce soir tu es en retard, nous n'allons pas pouvoir parler et peut-être même devrai-je m'asseoir à table avant toi, et il n'y aura plus de place à côté de moi quand tu arriveras, et nous serons séparés au dîner, immense tristesse.

Soudain je t'aperçois dehors sur la terrasse, mais tu es au téléphone. Tu vas et viens en faisant de grands gestes, je pense aussitôt que tu parles avec ton compagnon. Jusqu'ici je ne t'avais pas encore vue consulter tes textos ou tes mails, répondre au téléphone ou appeler, alors que tous les gens en couple font ça habituellement, avant, après, ou même pendant le repas, nouvelles rapides de la journée et pensées secrètes envoyées au conjoint entre deux moments vides. Ta conversation dure, tu as l'air très préoccupée, très concentrée. Puis tu lèves les yeux et tu me vois à travers la baie vitrée, alors tu me fais un grand signe, avec ta main qui oscille comme les paumes de l'aéroport, et tu l'accompagnes d'un large sourire. Immédiatement, je devine que tu n'es pas avec ton compagnon.

Je sors sur la terrasse et je t'entends parler au téléphone en italien, c'est une conversation qui paraît à la fois joyeuse et intime, sur le ton de la confidence, aussi je me dis que c'est sans doute une copine à toi. Tu termines la communication par « Ciao ! » et tu viens vers moi en me disant : « J'étais avec mon père. »

Tu me refais la bise, je souris et je pense : les Français ne se refont pas la bise dans la même journée, cependant ça me plaît. Nous allons dîner et nous asseyons autour de la table l'un à côté de l'autre pour la quatrième fois, mais ce sera la dernière fois car je viens d'apprendre avec un peu d'abattement que le séminaire de médecine se termine ce soir au lieu de demain, et que demain il n'y aura pas de dîner dans la grande salle, chacun mangera chez soi, m'a dit l'organisatrice, donc toi et moi mangerons chacun de notre côté. Je crois que tu me dis que nous pourrions quand même manger ensemble, puis tu parais revenir sur ce que tu as dit et tu expliques que ce serait compliqué, et moi aussi cela me semble un peu ambigu que nous mangions en tête à tête chez l'un ou chez l'autre, alors je n'insiste pas dans ce sens et ta proposition est aussitôt oubliée. Chaque seconde de ce dîner sera donc pour moi sacrée, jusqu'à la dernière, celle qui nous séparera puisque toujours je finis par être séparé des femmes dont je tombe amoureux. La séparation est devenue une constante de mon existence qui m'a forcé à changer de vie, et c'est pour ça que je me suis retrouvé romancier : je veux tout transformer en légende, créer une boucle continue, doubler l'éternité.

Au moment où j'écris ces phrases, cela fait maintenant deux jours que tu es partie et je sens que les traits de ton visage, et ta voix, tes yeux, tes lèvres, tes mains, tes cheveux et la forme de ton nez s'effacent de ma mémoire. C'est une chose terrible à vivre et il n'y a rien à faire : maintenant c'est chaque seconde s'écoulant qui me retire quelque chose de toi qui demeurait en moi, c'est chaque seconde qui m'appauvrit de toi, comme si mon cerveau fuyait de toutes parts, et je ne veux pas que ça arrive, je voudrais te retenir mais je n'ai aucun moyen, je voudrais retenir surtout l'immense joie qui était la mienne quand tu étais là à côté de moi, mais aussi quand tu n'étais plus là mais que je savais que je te reverrais d'ici peu, par exemple après les promenades et avant le dîner. C'est cela que tu m'as donné, cinq jours de joie, cinq jours d'état de grâce intime, et c'est pour cela que je veux te remercier, *grazie mille*, merci, mille mercis pour tout cela.

Ta présence me procurait la joie, l'immense joie, c'est si rare, et surtout j'espérais, je voyais quelque chose, je distinguais un futur dans lequel tu voulais ce que je voulais et ressentais pour moi ce que je ressentais pour toi. Même après que tu as prononcé pour la première fois à table les mots « mon compagnon », j'ai encore pensé que nous devenions peu à peu si proches, que le glissement l'un vers l'autre était si rapide et si continu, que nous allions inéluctablement nous rejoindre et qu'alors le compagnon serait naturellement avalé par le passé. J'étais si joyeux, je me voyais éternel, je pensais exactement : Elle me veut, je le sais, et je le sais parce que tout ce qu'elle ressent, je le ressens à la puissance mille.

Chaque fois que nous parlions ensemble, quand tu expliquais le pourquoi de l'écriture chez tel ou tel grand auteur français, tes yeux bleus s'ouvraient si grands que j'étais comme aspiré par ta tête, et collé à tes yeux, mes yeux annexés aux tiens et comme redoublant les tiens, je devenais une partie de ces mille yeux que toute tête humaine rêve d'avoir un jour pour lui permettre de devenir omnisciente, je te prêtais mes pauvres yeux, ils ne me servent pas à grand-chose, même pas à écrire ou voir, tout juste à lire peut-être, mais qu'est-ce que la lecture et la littérature en comparaison de ta présence vivante ?

Ce jeudi soir, c'est donc le dernier soir, le séminaire prend fin le lendemain, le vendredi au lieu du samedi, et on nous a dit qu'il y aura à la fin de ce dernier dîner quelque chose de spécial : un gâteau d'anniversaire et du champagne en l'honneur de l'un des participants qui fête ses soixante-dix ans. Toi et moi sommes encore assis côte à côte, mais cette fois à un autre endroit d'une des trois tables, face au reste de la salle à manger et contre la cheminée-rôtisserie du XIXe siècle qui nous chauffe le dos. Je sens de nouveau ton parfum, discret mais perceptible, et tu t'es encore très légèrement maquillé les yeux, un peu de poudre aussi, perfection, distinction, naturel, juste ce qu'il faut pour sortir dîner.

À ma droite est assise la responsable française des séminaires, à ta gauche il y a un universitaire américain âgé, aux cheveux teints et au visage un peu écrasé, comme un boxeur dont la face se serait ramollie à force d'exercer son art, puis il y a ce scientifique texan d'une quarantaine d'années mais aux cheveux entièrement blancs, avec un visage osseux et des yeux très bleus profondément enfoncés dans le crâne, et ensuite le Californien à la barbiche et aux grosses lunettes, visage long, cheveux poivre et sel et tête à la Don Quichotte, à un moment il nous montre sur son téléphone la photo d'une jeune femme en disant qu'elle fait du cinéma je crois, sans doute sa fille, mais je ne comprends pas tout ce qu'il dit. Enfin, le dernier de cette table ronde est ce Russe devenu américain, aussi chaleureux et fascinant que son compatriote ex-russe de la table de la veille, celui qui avait une chevelure blanche éruptive, qui nous regardait par-dessus ses lunettes loupes, racontait des histoires drôles et buvait beaucoup, et le Russe de ce soir est moins drôle mais encore très impressionnant de pessimisme et de sagesse, presque de stoïcisme, il a des yeux clairs, une barbe de trois jours, et la même tête carrée qu'un détective de vieux film américain.

Ces spécialistes en médecine, venus des États-Unis et d'ailleurs, sont tous aussi bizarres et sympathiques les uns que les autres, et tu l'es sans doute également pour eux, et moi aussi probablement. Tous sont des universitaires ou cliniciens réputés, voire nobélisables, dans leurs domaines respectifs, quand ils parlent ils inventent une nouvelle théorie à chaque minute, ils mangent beaucoup, boivent pas mal, sont curieux de tout, posent sans arrêt des questions et creusent chacune des réponses. Et toi tu leur parles en anglais avec naturel, tu comprends tout ce qu'ils disent, tu les interroges sur leurs hypothèses, tu les relances puis t'émerveilles de leurs réponses, tu es une sorte de fée surdouée, rieuse, puissante, très belle.

Pendant tout le dîner, chaque fois que tu réalises que je ne comprends plus grand-chose à la discussion en anglais, que je n'arrive pas à suivre le débit trop rapide, tu te penches vers moi et tu m'expliques, tu me traduis leurs propos. Tu es cent corps à la fois, tu as mille bras comme une déesse indienne, tu soutiens la conversation avec eux en anglais, et la veille déjà en italien avec ta voisine compatriote, et parallèlement avec moi en français. C'est extraordinaire, très doux, très fluide dans un seul mouvement souple, entre deux parties de la discussion, tu penches ton visage vers moi, très près du mien, ta bouche à quelques centimètres de ma joue, et tu me traduis mot à mot. Et aussitôt que tu commences à me parler pour expliquer ce que les Américains ont dit, je recule un peu la tête et nos yeux se croisent comme chaque fois que nous nous parlons, et tu as ce regard direct, peut-être celui de toutes les Italiennes, je ne sais pas, et moi pareil, j'ai le même regard vers toi, direct et fixe. C'est exactement comme dans les toiles de Fra Angelico : les rayons divins, ces lignes droites dorées tracées au cordeau depuis le ciel jusqu'au crâne des bienheureux lorsqu'ils reçoivent l'Esprit saint, mais ici depuis tes yeux jusqu'à mes yeux, comme si les phrases que nous échangeons devenaient aussi solides que des câbles, nos yeux reliés deux à deux par des rayons divins, les fils d'argent d'un grand pont de lumière.

À un autre moment également, après l'intermède du champagne et du gâteau d'anniversaire, et peu avant que le dîner se termine, le Texan aux yeux bleus enfoncés décide, j'ignore pourquoi, de retirer sa montre du poignet et de faire le tour de la table pour la montrer à tout le monde. Il explique que c'est un cadeau que lui a fait sa femme, une montre suisse automatique sous-marine, d'un prix à l'évidence élevé, récente et en effet très belle. Il nous présente le numéro unique gravé dans l'acier du boîtier, et avec la lampe de son téléphone portable il éclaire le verre sur lequel apparaît en filigrane un sigle secret garantissant son authenticité. Il passe de place en place et propose à chaque personne de prendre la montre en main pour l'examiner. Quand il arrive à notre hauteur, je saisis la montre et je la regarde de près, et tu la regardes avec moi, et soudain ta joue est collée à ma joue pour admirer le petit objet rond matérialisant l'heure, nous nous touchons et aucun de nous n'a de mouvement de recul, la distance habituelle entre deux personnes, même amies, est ici réduite à néant, et je le sens aussitôt, je ne sais pas si toi aussi, et je pense en un éclair : si nous étions seuls je l'embrasserais. Puis je rends la montre à son propriétaire et ta peau s'éloigne de la mienne.

Quand le repas se termine, comme la veille au soir, et l'avant-veille, et le premier soir déjà, j'attends que tu te lèves pour partir avec toi, et il se passe cette fois quelque chose de curieux. Comme je te précède, tu me dis de t'attendre, que tu veux dire au revoir à tel scientifique avec qui tu as discuté ce soir, ou avant-hier, ou bien ta compatriote italienne, je ne sais plus, parce que tu ne les reverras pas puisqu'ils s'en vont demain matin, et cela se passe une première fois, puis nous allons repartir, mais de nouveau tu me dis que tu es désolée, que tu veux essayer de saluer cette seconde personne, actuellement en discussion avec d'autres, tu me demandes si ça ne me gêne pas, et moi je réponds : « Non, bien sûr. » Mais on dirait que nous sommes davantage que deux amis, un couple qui doit s'attendre pour repartir ensemble, et je trouve ça troublant, et je me dis que peut-être nous allons continuer la soirée chez toi ou chez moi, mais sans pour autant penser à rien de sexuel, je veux seulement rester avec toi tout le temps, le plus longtemps possible, je ne veux pas que nous soyons séparés.

Enfin, tu sors et je te suis dehors. Tu fumes une ou deux cigarettes et nous parlons un moment, et bientôt nous restons les seuls devant la Grande Maison. La responsable des séminaires, qui part la dernière, nous aperçoit et semble surprise de nous voir encore là, de même que le gardien la veille à onze heures du soir, quand il était venu fermer les salles et mettre en route l'alarme, et qu'il avait découvert notre présence dans l'obscurité. Finalement, nous redescendons vers le chemin qui mène à ta maison et tu me dis que demain tu n'auras sans doute pas le temps de faire une balade, que les heures vont te manquer pour lire dans la bibliothèque les documents indispensables à ta thèse et que tu ne peux consulter qu'ici. Je dis « Je comprends » mais je suis malheureux, il me semble impossible que nous ne nous revoyions pas demain, au moins pour nous dire au revoir puisque tu pars samedi matin très tôt. Tu ajoutes que si jamais tu trouves le temps, on fera une balade, et que nous n'avons qu'à nous donner nos numéros de portable. Tu me dictes les chiffres, je les compose sur mon téléphone, le tien sonne et il enregistre mon numéro. Tu tends ton visage pour faire la bise, cela me fait sourire parce que tu ne sais décidément pas faire la bise comme les Français, avec naturel, mais c'est touchant, très vrai, très doux, et mes lèvres touchent à nouveau furtivement tes joues.

Le lendemain, en début d'après-midi j'appelle ton portable, mais il me bascule immédiatement sur la messagerie. Ici, avec l'éloignement et aussi le relief, les ondes électromagnétiques ne passent pas partout, et du reste, si tu es au sous-sol de la Maison Barjeantane, dans les réserves de la bibliothèque, tu ne pourras pas capter mon appel. J'essaie sur le fixe de ta maison, rien non plus. Donc je descends à pied jusqu'à Barjeantane.

Quand j'arrive, je te vois debout dehors, tu regardes dans l'autre direction, je continue d'avancer en silence et tu ne me vois que quand tu te retournes enfin, je souris et toi tu lances un grand « Ciao ! » en faisant ton signe habituel de la main, et à nouveau ton visage rayonne. Je te demande comment ton travail a avancé et tu commences à partir dans des explications compliquées pour dire que tu ne vas pas pouvoir aller te promener, que tu n'as plus assez de temps, qu'il faut que tu redescendes travailler. Tu termines ta cigarette, nous parlons encore de deux ou trois choses, puis tu noues ton pull autour de tes épaules et tu me dis soudain :

« On y va ? », tout en partant dans la direction opposée à la maison. Je ne comprends rien mais je réponds « Oui ». Tu ajoutes : « Marchons. Je travaillerai au retour. »

Nous changeons de trajet par rapport à la veille, je veux te montrer la route qui remonte par l'est, donc nous descendons jusqu'à l'entrée du Domaine tout en bas, et de là nous empruntons la voie de droite qui grimpe par de larges lacets jusqu'à la Grande Maison, puis nous repartons par la route de l'ouest qui redescend. En vérité, nous faisons tout le tour du Domaine, nous bouclons la boucle.

Il y a un passage, à un moment, juste après la Grande Maison, où la route se divise entre la montée au sommet du Laquet, que nous avons empruntée la veille, et la descente qui mène à la Maison Barjeantane, puis, juste après cette bifurcation, la chaussée goudronnée décrit une épingle à cheveux avec une pente extrêmement forte. C'est précisément à cet endroit de la route que dans la discussion, alors que tu m'expliques que tu es très isolée parce que tes parents sont divorcés, que tu vis à Paris, très loin de l'Italie, et que tu as peu d'amis dans cette ville en dehors de ta colocataire ou de rares collègues de l'université, tu ajoutes à la liste de ta solitude : « Et même mon compagnon, qui vit à Milan, et d'ailleurs nous nous voyons très peu, tous les trois mois seulement. » Cette fois-ci, c'est terrible, il n'y a plus aucune ambiguïté, tu as vraiment quelqu'un dans ta vie, c'est la deuxième fois que tu emploies ce terme devenu insupportable pour moi, « compagnon ».

Je ne sais pas comment je parviens à tenir debout, à communiquer assez de forces à mes jambes pour résister à la pente abrupte du lacet de la route, plus rien ne me porte sauf ta voix, je me tais et je m'accroche à ta voix, et toi tu ne remarques rien, tu continues de parler. Je sens que mes chevilles vont se bloquer, je sens que je vais rester immobile puis calmement plier les genoux et m'asseoir à même le goudron, au milieu de la chaussée déserte, et attendre là, le regard dans le vide, de longues minutes, peut-être deux heures ou plus, que le temps s'écoule et me fasse oublier que tu existes, attendre de pouvoir t'oublier. J'ignore ce qui me donne le courage de continuer à marcher, même si j'avance sans parvenir à émettre un seul son, ni à prononcer une parole, ni à produire une seule exclamation d'acquiescement, comme ces petits rires ou ces onomatopées que je fais maintenant sans arrêt pour t'imiter quand je t'écoute parler, fasciné et admiratif. Je ne connais rien de plus douloureux que se retrouver obligé de vivre à côté d'une vérité insupportable, et sans pouvoir ni s'en éloigner ni rien faire pour la modifier.

Je reste tétanisé de longues minutes et nous continuons pourtant de marcher parce que tu parles sans réaliser que moi j'ai perdu la parole et que je ne suis plus vraiment là, sans comprendre que tu marches à côté d'un mort. Mais ta voix reste ta voix, ton accent italien, tes yeux que je continue malgré tout d'essayer de croiser, et finalement, au bout d'un moment difficile à estimer mais peut-être assez court, j'oublie mon malheur et je suis à nouveau amoureux, à nouveau enivré de toi. Un peu avant d'arriver à Barjeantane, nous rencontrons des ouvriers agricoles qui réparent les clôtures électriques anti-sangliers, et ils nous font un grand salut, et l'un d'eux nous lance un « Bonjour, Messieurs dames » qui me fait sourire parce qu'il semble s'adresser à nous comme si nous formions une seule entité.

Nous avons beaucoup marché, peut-être sept kilomètres, mais il ne s'est écoulé qu'une heure et demie, et tu vas retourner travailler. Je te dis quelque chose comme « Bon courage » ou « Travaille bien », je ne sais plus, et alors tu me réponds : « Ça tient toujours pour que nous mangions ensemble ce soir ? » Je suis abasourdi, je pensais que cette idée que tu avais vaguement évoquée la veille et dont tu n'avais pas reparlé ne tenait pas la route, qu'elle était trop équivoque, en tout cas pour une Française, il me semble, à moins que ce soit une vieille amie, mais un dîner en tête à tête à la maison, non, impossible. Et là je réponds avec un faux naturel : « Oui, oui, bien sûr. » Et je cherche comment éviter une phrase à laquelle je ne peux malgré tout pas échapper, et que je prononce telle quelle : « Chez toi ou chez moi ? » Et tu réponds que ça t'est égal, alors je te dis : « Chez moi, tu verras mon piano. » « À 21 heures ? » tu demandes encore. Et ça me semble tellement tard, alors je te dis plutôt 19 heures, et nous rions parce que en France on dîne généralement à une heure moins avancée qu'en Italie. Puis tu fais un petit geste de la main et tu repars travailler.

Je t'attends. Je n'ai rien préparé, tu apportes les plats que le chef Fernand et sa brigade ont préparés et qu'il est venu mettre dans ton réfrigérateur comme chaque matin pendant ton absence, et qui correspondent exactement à ceux qu'il m'a également apportés des cuisines ce matin. Oui, ici c'est vraiment la vie princière, la vie portée à son maximum, le lieu idéal, les trois mille oliviers et les trois mille cyprès, les pins parasols et les amandiers, ainsi que les êtres qu'il faut, et pour moi l'être qu'il faut c'est toi.

Je n'ai pas à attendre longtemps car tu n'es pas en retard. J'entends tes pas sur l'escalier de pierres sèches qui descend à la terrasse de la Petite Maison. Je sors au moment où tu apparais, avec à la main ton panier d'osier marqué « Maison des Chênes » contenant les plats, et tu fais dans ma direction ton petit geste de la paume, « Ciao ». C'est toujours la même immense joie de te voir et te revoir, encore et encore, plusieurs fois par jour : à chaque fois je te dis « À plus tard », et quelques heures après le miracle s'accomplit et tu es de nouveau là. Se quitter pour se retrouver, encore, encore et encore, c'est sans doute une des multiples formes que peut prendre le paradis ici-bas.

Tu entres et je te fais visiter la maison, mais il n'y a rien à visiter puisque c'est une seule grande pièce toute en longueur, avec au bout un décrochement sur la gauche où se trouve mon bureau, et cette merveilleuse fenêtre à ras de sol par laquelle on voit le tronc du pin parasol et les dizaines d'oliviers disséminés sur la pente. Le piano quart-de-queue au milieu du salon est si luxueux qu'il te fait rire, comme moi la première fois où je l'ai vu. Toi non plus tu ne sais pas en jouer, mais tu soulèves quand même le couvercle pour taper quelques notes. Je suis à quelques centimètres de toi, et soudain je sens une grande timidité s'installer, à la fois une douceur et une hésitation entre nous, tu enfonces les touches, tu joues un air que je connais mais, j'ai beau me concentrer, je n'arrive pas à le retrouver, ah si, voilà, c'est « Au clair de la lune ». Tu ris, tu me dis que tu ne sais jouer que ça. Puis très vite, tu t'arrêtes de jouer et tu vas vers mon bureau mais tu ne t'y attardes pas, par discrétion, tu n'ouvres même pas les livres et revues qui s'y trouvent. Je débouche le vin que tu as été demander aux cuisines et je sors deux verres, les assiettes, les couverts.

Le saumon aux graines de sésame de Fernand est délicieux comme tout ce qu'il cuisine, et nous vidons ta bouteille de blanc puis une autre de rouge. Je ne me souviens plus exactement de tous les sujets dont nous parlons en mangeant, sauf de trois d'entre eux.

Le premier sujet, c'est la plongée sous-marine, et tu m'apprends que ton compagnon est un spécialiste de biologie marine, et même si tu ne prononces le mot « compagnon » qu'une fois et que seuls deux mots y sont associés, je sais que dorénavant je détesterai tous les « biologistes marins » que je croiserai, et même davantage puisque le lendemain, quand sur Internet je verrai les photos de plongée d'une amie en vacances, immédiatement je la supprimerai de mon fil d'actualités, pour ne plus risquer de voir des hommes-poissons et quoi que ce soit qui ait trait à cela, alors que j'ai toujours rêvé de faire de la plongée et de me transformer moi aussi en dauphin éphémère.

Le deuxième sujet, c'est ta thèse en littérature, la figure du Christ chez les auteurs du XXe siècle, et aujourd'hui tes nouveaux travaux sur la correspondance de ***, ce grand auteur du siècle dernier publié chez le même éditeur que moi, et la discussion que nous avons à propos de ces écrivains est vraiment merveilleuse, ton intelligence flamboie, c'est quand tu élabores tes théories que tu es la plus belle, avec le regard direct et tes yeux qui deviennent incroyablement grands, la pupille se rétractant et le bleu resplendissant comme un ciel profond, un ciel sans aucun nuage. J'ai soudain l'impression que tes yeux vont sortir de ta tête pour percuter les miens, c'est une sensation étourdissante, il y a en français une expression que tu connais peut-être, parce que tu connais presque tout du français, c'est « boire les paroles de quelqu'un », eh bien, je fais exactement ça : je bois tes paroles et elles me font escalader le ciel.

Le troisième sujet de discussion est mon livre sur un pays lointain, ou plutôt ma succession de projets autour de mon impossible futur roman sur ce thème. Je t'explique que je l'ai déjà écrit, que le texte était très raté, que mon éditeur l'a, en son temps, fort logiquement refusé pour sa collection, puis que la maison d'édition l'a refusé pour toutes ses autres collections, et donc que le livre ne sortira jamais. Mais, là où ça devient à la fois cocasse et désespérant, c'est que tous les financeurs publics et privés à qui je soumets ce projet de roman l'adorent immédiatement et m'offrent beaucoup d'argent pour y travailler et écrire un livre dont ils ignorent qu'il est déjà terminé et complètement raté. De sorte que je l'ai déjà fait financer quatre fois de suite, et que je peux continuer le manège tant que le livre ne sort pas, or le livre ne sortira jamais puisqu'il est raté, et donc je pourrai le proposer sans fin comme un projet futur, et donc je serai financé pour l'éternité, CQFD, ce qu'il fallait démontrer. J'éclate de rire, je démonte le mécanisme magnifiquement ubuesque des financements publics sur la base de projets, tu m'interroges, je te réponds, et tous mes exemples sont si comiques que nous partons bientôt dans un grand fou rire, j'en ai les larmes aux yeux et toi aussi. La vie est mille fois plus drôle avec toi qu'avec n'importe qui d'autre.

Nous parlons aussi, plus tard, d'un quatrième sujet : je te raconte comment, étrangement, la figure du Christ que tu as étudiée chez les grands auteurs contemporains est présente dans mon nouveau livre, qui doit sortir bientôt, et aussi comment le catholicisme est fondé sur l'hérésie, sur la sexualité, sur le Christ et sur la Vierge Marie. Alors, pendant que je parle et que je déploie très sérieusement une pensée elle-même très élaborée, je te vois soudain fascinée, admirative, séduite. Je le sais parce que j'ai déjà vu des dizaines de fois ce regard chez les femmes m'écoutant à certains moments précis, quand je parle d'une façon très particulière, que je donne à voir une facette de moi-même que je connais très bien, celle de l'enfant que je resterai toujours et qui s'émerveille de la complexité du monde. C'est à cet instant-là où tu es comme ensorcelée que je pourrais tenter quelque chose, faire pivoter les forces du monde et te faire succomber. Je ne le fais pas, j'ignore pourquoi.

Il y a aussi un dernier moment où en une demi-seconde tout pourrait encore changer, quand je te dis, et je t'en ai déjà parlé, mais jamais aussi directement, que je voudrais que tu ne me parles plus qu'en italien parce que j'adore cette langue et aussi, mais ça je ne te le dis pas, parce que j'adore ta voix, qu'elle soit en français avec son léger accent, ou en italien, beaucoup plus timbrée et douce, sucrée et dense, ta voix comme un miel obscur. Je me rappelle même que je te dis : « J'ai *besoin* de t'entendre me parler en italien, vraiment. » Tu me dis quelques mots et moi-même j'essaie de te parler dans mon mauvais italien, mais, j'ignore pourquoi, tu t'arrêtes d'un coup, tu renonces à continuer à me parler dans cette langue, tu renonces à prononcer des phrases derrière lesquelles tu aurais pu te cacher partiellement de moi et qui auraient été au plus proche de ta pensée du moment. J'aurais tellement voulu que nous puissions, mine de rien, glisser dans l'italien et nous abandonner à ce que les auteurs libertins français du XVIIIe siècle ont délicieusement appelé *un dérapage érotique*.

Mais j'ai laissé passer l'instant favorable, et maintenant tu dis qu'il est tard et que tu dois rentrer. Il n'est que dix heures du soir et pourtant tu te lèves et tu débarrasses les assiettes que tu rapportes dans la cuisine. Ensuite tu enfiles ton manteau, ça a été une soirée merveilleuse, tu ne le dis pas mais tu le penses probablement, une soirée d'amis, et moi aussi je le pense, même si je sais déjà que les regrets vont m'assommer plusieurs jours.

Nous sommes sur la terrasse, tu passes ton écharpe autour de ton cou, tu vas partir, demain le taxi vient te chercher très tôt, nous nous disons au revoir, je joue mon personnage de bon ami et je le fais sans doute parfaitement, et certainement aussi avec une complète hypocrisie parce que aujourd'hui je ne me souviens plus du tout de tes mots et des miens, je sais seulement que nous nous faisons la bise, mais je ne garde même pas la trace de ce moment où mes lèvres touchèrent tes joues pour la dernière fois. La seule chose qui me reste, c'est toi de dos qui montes l'escalier et qui à la troisième marche te retournes et me lances en souriant : « Ciao, ciao ! » Je sais qu'on ne se reverra jamais.

Un abbraccio.

L'INFINI

Dans la même collection

Daniel Accursi *Le néogâtisme gélatineux — La nouvelle guerre des dieux — La pensée molle*

Louis Althusser *Sur la philosophie*

Dominique Aury *Vocation : clandestine (Entretiens avec Nicole Grenier)*

Frédéric Badré *L'avenir de la littérature*

Olivier Baumont *« À l'Opéra, monsieur ! » (La musique dans les* Mémoires *de Saint-Simon)*

Frédéric Beigbeder *Nouvelles sous ecstasy*

Pierre Alain Bergher *Les mystères de* La Chartreuse de Parme *(Les arcanes de l'art)*

Emmanuèle Bernheim *Le cran d'arrêt*

Frédéric Berthet *Journal de Trêve — Felicidad — Daimler s'en va — Simple journée d'été*

Victor Bockris *Avec William Burroughs (Notre agent au Bunker)*

Amélie de Bourbon Parme *Le sacre de Louis XVII*

Pierre Bourgeade *L'objet humain — L'argent — Éros mécanique — La fin du monde*

Judith Brouste *Le cercle des tempêtes — Jours de guerre*

Antoine Buéno *L'amateur de libérines*

Alain Buisine *Les ciels de Tiepolo*

Emmanuel Catalan — *Prolégomènes à une révolution immédiate*

Brigitte Chardin — *Juste un détour*

Frank Charpentier — *La dernière fête de Rimbaud*

Collectif — *Poésie hébraïque du IVe au XVIIIe siècle (Choix de poèmes)*

Collectif (sous la direction de Yannick Haenel et François Meyronnis) — *Ligne de risque (1997-2005)*

Béatrice Commengé — *Et il ne pleut jamais, naturellement* — *L'homme immobile* — *Le ciel du voyageur* — *La danse de Nietzsche*

Gilles Cornec — *Gilles ou Le spectateur français* — *L'affaire Claudel*

Michel Crépu — *Lecture (Journal littéraire 2002-2009 / La Revue des Deux Mondes)*

Catherine Cusset — *La blouse roumaine*

Marc Dachy — *Il y a des journalistes partout (De quelques coupures de presse relatives à Tristan Tzara et André Breton)*

Joseph Danan — *Allégeance*

René Defez — *Méditations dans le temple*

Raphaël Denys — *Le testament d'Artaud*

Marcel Detienne — *L'écriture d'Orphée*

Conrad Detrez — *La mélancolie du voyeur*

Jacques Drillon — *Sur Leonhardt* — *De la musique*

Bernard Dubourg — *L'invention de Jésus* I et II (*L'hébreu du Nouveau Testament* et *La fabrication du Nouveau Testament*)

Hélène Duffau *Combats* — *Trauma*

Benoît Duteurtre *Tout doit disparaître* — *L'amoureux malgré lui*

Alexandre Duval-Stalla *François-René de Chateaubriand – Napoléon Bonaparte : une histoire, deux gloires (Biographie croisée)* — *Claude Monet – Georges Clemenceau : une histoire, deux caractères (Biographie croisée)* — *André Malraux – Charles de Gaulle : une histoire, deux légendes (Biographie croisée)*

Raphaël Enthoven *Le philosophe de service (Et autres textes)* — *L'endroit du décor*

Hans Magnus Enzensberger *Feuilletage* — *La grande migration* suivi de *Vues sur la guerre civile*

François Fédier *Soixante-deux photographies de Martin Heidegger*

Jean-Louis Ferrier *De Picasso à Guernica (Généalogie d'un tableau)*

Michaël Ferrier *Mémoires d'outre-mer* — *Fukushima (Récit d'un désastre)* — *Sympathie pour le fantôme* — *Tokyo (Petits portraits de l'aube)*

Alain Fleischer *Prolongations* — *Immersion*

Philippe Forest *L'enfant éternel*

Philippe Fraisse *Le cinéma au bord du monde (Une approche de Stanley Kubrick)*

Jean Gatty *Le président (Dialogue)* — *Le journaliste (Dialogue)*

Henri Godard *L'autre face de la littérature (Essai sur André Malraux et la littérature)*

Romain Graziani *Fictions philosophiques du « Tchouang-tseu »*

Camille Guichard *Vision par une fente*

Cécile Guilbert *L'écrivain le plus libre — Pour Guy Debord — Saint-Simon ou L'encre de la subversion*

Pierre Guyotat *Vivre*

Yannick Haenel *Tiens ferme ta couronne — Je cherche l'Italie — Les renards pâles — Jan Karski — Cercle — Évoluer parmi les avalanches — Introduction à la mort française*

Yannick Haenel et François Meyronnis *Prélude à la délivrance*

Martin Heidegger *La dévastation et l'attente (Entretien sur le chemin de campagne)*

Jean-Luc Hennig *De l'extrême amitié (Montaigne & La Boétie) — Voyou* suivi de *Conversation au Palais-Royal* par Mona Thomas — *Femme en fourreau — Apologie du plagiat — Bi (De la bisexualité masculine)*

Jean-Louis Houdebine *Excès de langage*

Nicolas Idier *La musique des pierres*

Alain Jaubert *La moustache d'Adolf Hitler (Et autres essais) — Val Paradis — Palettes*

Régis Jauffret *Sur un tableau noir — Seule au milieu d'elle*

Christine Jordis *L'aventure du désert*

Alain Jouffroy *Conspiration — Manifeste de la poésie vécue (Avec photographies et arme invisible)*

Jack Kerouac *Journaux de bord (1947-1954) — Vieil Ange de Minuit* suivi de *citéCitéCITÉ* et de *Shakespeare et l'outsider*

Alain Kirili *Statuaire*

Julia Kristeva *Histoires d'amour*

Bernard Lamarche-Vadel *Tout casse — Vétérinaires*

Louis-Henri de La Rochefoucauld *La Révolution française*

Lucile Laveggi *Le sourire de Stravinsky — Damien — Une rose en hiver — La spectatrice*

Sandrick Le Maguer *Portrait d'Israël en jeune fille (Genèse de Marie)*

Bruno Le Maire *Musique absolue (Une répétition avec Carlos Kleiber)*

Gordon Lish *Zimzum*

Jean-Michel Lou *Corps d'enfance corps chinois (Sollers et la Chine) — Le petit côté (Un hommage à Franz Kafka)*

Pierre Marlière *Variations sur le libertinage (Ovide et Sollers)*

Éric Marty *Une querelle avec Alain Badiou, philosophe — Bref séjour à Jérusalem — Louis Althusser, un sujet sans procès (Anatomie d'un passé très récent)*

Gabriel Matzneff *Les Demoiselles du Taranne (Journal 1988) — Calamity Gab (Journal janvier 1985-avril 1986) — Mes amours décomposés (Journal 1983-1984) — Les Soleils révolus (Journal 1979-1982) — La passion*

Francesca (Journal 19[illegible]-1976) — *La prunelle de mes yeux*

Jeffrey Mehlman — *Legs de l'antisémitisme en France*

François Meyronnis — *Tout autre (Une confession)* — *Brève attaque du vif* — *De l'extermination considérée comme un des beaux-arts* — *L'Axe du Néant* — *Ma tête en liberté*

Catherine Millot — *La vie avec Lacan* — *O Solitude* — *La vie parfaite (Jeanne Guyon, Simone Weil, Etty Hillesum)* — *Abîmes ordinaires* — *Gide Genet Mishima (Intelligence de la perversion)* — *La vocation de l'écrivain*

Claude Minière — *Pound caractère chinois*

Emmanuel Moses — *Rien ne finit* — *Ce jour-là* — *Le théâtre juif (Et autres textes)* — *Le rêve passe* — *Un homme est parti*

Stéphane Mosès — *Rêves de Freud (Six lectures)*

Philippe Muray — *Le XIXe siècle à travers les âges*

Marc-Édouard Nabe — *Je suis mort* — *Visage de Turc en pleurs* — *L'âme de Billie Holiday*

Alain Nadaud — *Voyage au pays des bords du gouffre* — *L'envers du temps* — *Archéologie du zéro*

Dominique Noguez — *L'homme de l'humour* — *Le grantécrivain (& autres textes)* — *Immoralités* suivi d'un *Dictionnaire de l'amour* — *Amour noir* — *Les Martagons*

David di Nota — *Ta femme me trompe* — *Bambipark* suivi de *Têtes subtiles et têtes coupées* — *J'ai épousé un casque bleu* suivi de *Sur la guerre* — *Projet pour une révolution à Paris* — *Traité des élégances, I* — *Quelque* [illegible] — *Apologie du plaisir absolu* — *Histoire locale*

Rachid O. — *Ce qui reste* — *Chocolat chaud* — *Plusieurs vies* — *L'enfant ébloui*

Jean-Luc Outers — *Le dernier jour*

Marc Pautrel — *La vie princière* — *La sainte réalité (Vie de Jean Siméon Chardin)* — *Une jeunesse de Blaise Pascal* — *Orpheline* — *Polaire* — *Le voyage* [illegible] — *L'homme pacifique*

Marcelin Pleynet — *L'expatrié* — [illegible] — *L'étendue musicale* — *Chronique vénitienne* — *Le savoir-vivre* — *Rimbaud en son temps* — *Le Pontos* — *Les voyageurs de l'an 2000* — *Le plus court chemin (De Tel Quel à L'Infini)* — *Le propre du temps* — *Les modernes et la tradition* — *Prise d'otage* — *Fragments du chœur*

Olivier Poivre d'Arvor — *Les dieux du jour (Essai sur quelques mythologies contemporaines)*

Jean-Yves Pouilloux — *L'art et la formule* — *Montaigne, une vérité singulière*

Lakis Proguidis — *Un écrivain malgré la critique (Essai sur l'œuvre de Witold Gombrowicz)*

Jean-Luc Quoy-Bodin — *Un amour de Descartes*

Thomas A. Ravier — *L'œil du prince* — *Éloge du matricide (Essai sur Proust)* — *Le scandale McEnroe* — *Les aubes sont navrantes*

Valentin Retz — *Noir parfait* — *Double* — *Grand art*

Alina Reyes — *Quand tu aimes, il faut partir* — *Au corset qui tue*

Jacqueline Risset *Les instants les éclairs — Petits éléments de physique amoureuse*

Alain Roger *Proust, les plaisirs et les noms*

Dominique Rolin *Plaisirs (Entretiens avec Patricia Boyer de Latour) — Train de rêves — L'enfant-roi*

André Rollin *Quelle soirée*

Clément Rosset *Route de nuit (Épisodes cliniques)*

Jean-Philippe Rossignol *Vie électrique*

Wanda de Sacher-Masoch *Confession de ma vie*

Guillaume de Sardes *L'Éden la nuit*

Jean-Jacques Schuhl *Obsessions — Entrée des fantômes — Ingrid Caven*

Bernard Sichère *L'être et le Divin — Pour Bataille (Être, chance, souveraineté) — Le Dieu des écrivains — Le Nom de Shakespeare — La gloire du traître*

Philippe Sollers *Poker (Entretiens avec la revue* Ligne de risque*) — Le rire de Rome (Entretiens avec Frans De Haes)*

Leo Steinberg *La sexualité du Christ dans l'art de la Renaissance et son refoulement moderne*

Mathieu Terence *De l'avantage d'être en vie*

Bernard Teyssèdre *Le roman de l'Origine* (Nouvelle édition revue et augmentée)

Olivier-Pierre Thébault *La musique plus intense (Le Temps dans les* Illuminations *de Rimbaud)*

François Thierry *La vie-bonsaï*

Chantal Thomas *Casanova (Un voyage libertin)*

Guy Tournaye *Radiation — Le Décodeur*

Jeanne Truong *La nuit promenée*

Jörg von Uthmann *Le diable est-il allemand ?*

R. C. Vaudey *Manifeste sensualiste*

Philippe Vilain *L'été à Dresde — Le renoncement — La dernière année — L'étreinte*

Arnaud Viviant *Le Génie du communisme*

Patrick Wald Lasowski *Dictionnaire libertin (La langue du plaisir au siècle des Lumières) — Le grand dérèglement*

Bernard Wallet *Paysage avec palmiers*

Stéphane Zagdanski *Miroir amer — Les intérêts du temps — Le sexe de Proust — Céline seul*

Composition : Dominique Guillaumin.
Achevé d'imprimer
par l'Imprimerie Floch
à Mayenne, le 16 février 2018.
Dépôt légal : février 2018.
1er dépôt légal : novembre 2017.
Numéro d'imprimeur : 92334.

ISBN 978-2-07-275261-2 / Imprimé en France.

336133